D1050587

MYSTÈRE
MYSTÈRE

Du même auteur, dans la même série :

Étranges disparitions

Ron Roy
Illustrations de Nicolas Julo

Un fantôme au manoir

RAGEOT

Cet ouvrage a été imprimé sur un papier
issu de forêts gérées durablement,
de sources contrôlées.

Cet ouvrage a paru sous le titre
The Deadly Dungeon (*A to Z Mysteries,* tome 3).

Cette traduction est publiée avec l'accord de Random House
Children's Books, un département de Random House, Inc.

Traduction : Émilie Éveilleau.
Couverture : Nicolas Julo.

ISBN : 978-2-7002-4765-7
ISSN : 1951-5758

Loi n° 49-956 du 16-07-1949 sur les publications
destinées à la jeunesse.

ARRIVÉE DANS LE MAINE

3D se trémoussa sur son siège. Il était assis dans le car avec Rose et Josh depuis plusieurs heures et il avait des fourmis dans les jambes.

Ils allaient passer quelques jours dans le Maine, à Rockland, chez leur amie Wallis Wallace, un célèbre écrivain de romans policiers pour les enfants.

Ils avaient fait sa connaissance lors de sa venue à Smalltown pour une séance de dédicace. 3D sourit en se rappelant comment ils l'avaient sauvée des griffes d'un prétendu ravisseur.

Il jeta un regard en coin à Josh, endormi sur le siège voisin, son carnet de croquis ouvert sur les genoux.

Assise derrière Josh, Rose suivait leur parcours sur une carte. Elle était comme toujours habillée de vêtements de couleur identique. Ce jour-là, ils étaient tous verts, de son tee-shirt à ses baskets montantes.

3D alla s'asseoir à côté d'elle.

– Où sommes-nous ? demanda-t-il.

– On est presque arrivés. On vient de passer un panneau « Bienvenue à Rockland », lui expliqua-t-elle en repliant sa carte. Je suis si impatiente de voir le manoir de Wallis ! Tu penses qu'il a un pont-levis et des douves ?

– J'espère surtout qu'il a un frigo bien rempli ! déclara 3D. Je meurs de faim.

– Moi aussi ! s'écria Josh dont la tête surgit soudain devant eux. Est-ce qu'on est arrivés ?

À cet instant, le chauffeur du car annonça :

– Rockland !

– On descend là ! l'informa 3D en se penchant dans le couloir.

Le car s'arrêta devant un petit bâtiment gris qui faisait face à la mer.

– Tu vois Wallis ? demanda Rose.

– Non, mais on sort quand même. Je crois que je suis allergique aux voyages en car !

Les trois amis empruntèrent la sortie à la suite d'un couple de personnes âgées. Ils clignaient des yeux dans le soleil lorsqu'une voix retentit :

– Salut les enfants !

Un jeune homme blond et musclé se dirigeait vers eux. Bronzé, il souriait de toutes ses dents.

– Je me souviens de toi ! s'écria Rose. Tu es le frère de Wallis !

– Appelez-moi Walker, d'accord ? Wallis fait des courses, elle m'a prié de venir vous chercher.

Walker empoigna le sac de 3D et grimaça.

– Qu'as-tu bien pu mettre là-dedans ? demanda-t-il au garçon. Ta collection de cailloux ?

– Non, des livres, lui répondit 3D en souriant. Ma mère m'a dit qu'il pleuvait souvent dans le Maine, alors j'ai pris mes précautions.

Walker éclata de rire.

– On a commandé le beau temps pour vous, les amis ! Soleil tous les jours sans exception ! Allez, venez, ma Jeep est garée là-bas.

La Jeep décapotable de Walker était couverte de poussière et le cuir des sièges était usé jusqu'à la trame.

Il dégagea le siège arrière encombré d'une paire de bottes et d'une boîte à outils puis les garçons s'assirent et Rose prit place à l'avant.

– Est-ce qu'on est loin du manoir ? demanda-t-elle.

– Non, il se trouve juste derrière ces arbres, à un kilomètre à peu près.

Walker emprunta la route qui longeait la côte.

– J'espère que vous avez faim, parce que ma sœur est en train de dévaliser le supermarché pour vous.

– J'ai toujours faim, le rassura Josh en allongeant confortablement ses jambes vers 3D. Quelle bonne odeur ! déclara-t-il en inspirant l'air marin.

– Tu parles d'une odeur ! grogna 3D. Retire tes pieds puants de là !

– Mes pieds sentent très bon, rétorqua Josh en les agitant sous le nez de son ami.

– Tiens, où est-ce que tu as ramassé ça ? s'étonna 3D en décollant une plume vert vif collée à la semelle d'une des baskets de Josh.

– Aucune idée, répondit celui-ci.

3D mit la plume dans sa poche.

– Et voici *Moose Manor* ! déclara Walker.

Une énorme bâtisse apparut alors entre les arbres. Ses fenêtres évoquaient des yeux scrutateurs. Une clôture métallique entourait la propriété.

– Wahou ! murmura 3D. On dirait un château fort.

– Regardez, les garçons ! Il y a des douves ! s'écria Rose.

– Et un pont-levis ! ajouta Josh. Il y a peut-être des oubliettes aussi ?

Walker arrêta sa Jeep devant le portail, et les enfants descendirent avec leurs sacs.

– Je retourne travailler au bateau, leur expliqua-t-il, mais Wallis ne devrait pas tarder. Installez-vous dans le jardin en l'attendant !

Il leur adressa un signe de la main, il démarra puis disparut entre les arbres.

Josh poussa le portail, qui s'ouvrit en grinçant. Le manoir était encore plus impressionnant vu de près. Les créneaux évoquèrent à 3D les dents d'un géant. Rose se pencha vers les douves et éclata de rire.

– Regardez, les garçons ! Les douves ont été transformées en jardin !

– Eh, les amis ! appela Josh. Qu'est-ce que vous pensez de ça ?

Il avait traversé le pont-levis et se trouvait devant une énorme porte en bois bardée de fer.

– Je me demande comment Wallis arrive à l'ouvrir. Cette porte doit peser une tonne !

C'est alors qu'un bruit de moteur se fit entendre. Une Volkswagen rouge s'engagea dans l'allée. Le klaxon retentit, puis une main apparut par la fenêtre.

– C'est Wallis ! hurla 3D.

MOOSE MANOR

– Bienvenue à *Moose Manor* ! s'écria Wallis.

Elle correspondait exactement au souvenir de 3D : sourire joyeux, longs cheveux bruns bouclés, yeux rieurs.

– Alors, que pensez-vous du manoir ?

– J'adore cet endroit ! s'exclama Rose.

– C'est génial, ici ! ajouta Josh.

– Impressionnant, n'est-ce pas ? renchérit Wallis dans un éclat de rire. Aidez-moi à décharger la voiture, ensuite je vous fais visiter !

C'était en fait par une porte située sur le côté du bâtiment que l'on entrait dans le manoir. Wallis et les enfants transportèrent de gros sacs pleins de provisions dans une grande pièce où se trouvaient une machine à laver, un sèche-linge, des portemanteaux chargés de vêtements et de chapeaux, et un tas de baskets et de bottes.

– Voici le débarras, leur expliqua Wallis en ouvrant la porte d'une pièce aux dimensions plus modestes.

– Et la cuisine.

Son plafond était si élevé que 3D bascula la tête en arrière pour mieux le regarder.

Cette cuisine était pourvue de tout l'équipement moderne. Une longue table de bois massif était installée au milieu de la pièce, surmontée d'un lustre imposant.

– Cet endroit est incroyable ! s'enthousiasma 3D.

– C'est pourquoi je l'aime tant, expliqua Wallis. Rangeons vite les courses et je vous ferai faire le tour du propriétaire.

Les trois amis vidèrent rapidement les sacs, et Wallis mit le lait et la glace au réfrigérateur.

– C'est parti ! Commençons par le grand salon ! Suivez-moi.

Wallis les conduisit dans le plus grand salon que 3D ait jamais vu. La première chose qui attira son attention fut le lustre, aussi gros que la voiture de Wallis.

Une cheminée de marbre occupait un mur entier. Toutes sortes d'animaux étaient sculptés sur son manteau de bois noir.

– Génial ! s'exclama 3D.

– Waouh ! On pourrait faire brûler un arbre dans cette cheminée ! remarqua Josh en se penchant dans l'âtre.

– J'aimerais pouvoir le faire, soupira Wallis en se laissant tomber sur un canapé. Il fait très froid, l'hiver, sur cette falaise battue par les vents.

– De quand date le manoir ? demanda Rose en contemplant les hauts murs de pierre.

– Il a été construit dans les années trente, expliqua Wallis, par Amaury Ghost, une star de cinéma de l'époque. Mais il n'y a pas vécu très vieux.

– Vraiment ? s'étonna Josh.

– Que lui est-il arrivé ? s'enquit 3D, les sourcils froncés.

– D'après la rumeur, répondit Wallis en haussant les sourcils et en baissant la voix, il est mort brutalement peu de temps après son installation au manoir. Pour tout vous dire, j'ai parfois l'impression d'entendre son fantôme !

Les trois amis, bouche bée, la fixèrent du regard jusqu'à ce que 3D explose de rire.

– Tu te moques de nous, Wallis !

– Moi ? Pas du tout ! Vous ne croyez pas aux fantômes ? s'étonna l'écrivain avec un grand sourire.

– Non ! répondirent les trois amis d'une seule voix.

– Eh bien, dit Wallis en se levant, peut-être changerez-vous d'avis quand vous croiserez Amaury au détour d'un couloir. En attendant, que diriez-vous de découvrir vos chambres ?

Rose, 3D et Josh saisirent leurs sacs puis suivirent Wallis dans le grand escalier de pierre qui menait à l'étage. Ils débouchèrent dans un long couloir sombre percé de quatre portes.

Wallis en désigna une et déclara :

– Voici ma chambre. La tienne, Rose, est ici, et celle de 3D et Josh se trouve juste en face. Je vous ai installés ensemble, les garçons.

Puis elle désigna une porte étroite située au bout du couloir :

– Quant à cette porte-ci, elle permet d'accéder au toit.

3D ouvrit la porte de sa chambre et découvrit une pièce aussi vaste que celles du rez-de-chaussée. Un tapis bleu s'étalait sur le sol de pierre et les lits jumeaux étaient recouverts de dessus-de-lit rouges.

Il s'approcha de la fenêtre pour admirer le bois de pins qui s'étendait au pied du manoir.

– Où est l'océan ? demanda-t-il.

– De l'autre côté, lui répondit Wallis. Que diriez-vous de déballer vos affaires et de venir déjeuner ?

Et tandis que Rose gagnait sa chambre, 3D et Josh jetèrent leurs sacs sur leurs lits.

– Cet endroit est extra, dit Josh en découvrant l'immense salle de bains.

3D empila ses livres sur sa table de nuit, fouilla dans son sac à la recherche de vêtements propres. Il choisit un short, un tee-shirt et se changea.

– 3D, viens vite ! l'appela soudain Josh.

3D le rejoignit dans la salle de bains.

– Écoute, lui dit son ami, une oreille collée contre l'un des murs.

– Qu'est-ce qu'il y a ?

– J'ai cru entendre quelque chose !

– Qu'est-ce qui se passe, ici ? demanda Rose en entrant.

– Josh a cru entendre un bruit bizarre de l'autre côté du mur, lui expliqua 3D.

– Ce doit être le fantôme d'Amaury Ghost, répondit Rose, un sourire malicieux au coin des lèvres. Il attend que vous soyez tous les deux endormis pour revenir !

La voix de Wallis retentit alors depuis le rez-de-chaussée :

– Descendez vite ! Tout est prêt !

Les trois amis se ruèrent dans la cuisine où Wallis achevait de préparer un pique-nique.

– Il fait si beau que j'ai pensé qu'on pourrait manger sur la plage. Ça vous plairait ?

– Cool ! s'exclama Josh. On pourra pêcher, aussi ?

– Vous demanderez à Walker s'il peut vous prêter du matériel. Au fait, il vous emmène relever les casiers à homards demain matin.

– Génial ! hurla Josh.

– On verra si tu es aussi enthousiaste demain matin quand tu devras te lever à 4 h 30, s'amusa Wallis.

3D et Josh s'emparèrent du panier à pique-nique, et Wallis confia une couverture à Rose. Puis elle les conduisit à l'arrière du manoir, jusqu'à la falaise.

– La vue est splendide, non ? La première fois que je suis venue ici, j'ai tout de suite su que ce serait l'endroit idéal pour écrire, expliqua-t-elle.

3D emplit ses poumons de l'air du large et admira l'océan parsemé de bateaux de toutes les couleurs.

– Cet endroit est magnifique, dit-il.

Josh, lui, se pencha avec appréhension au bord de la falaise.

– Comment on descend à la plage ?

– J'ai fait construire un escalier, lui répondit Wallis. Mais je me demande comment Amaury Ghost s'y est pris pour faire monter le mobilier jusqu'au manoir. Car tout est arrivé d'Europe par bateau, y compris la cheminée et les lustres !

Un cri retentit soudain dans le manoir.

3D manqua lâcher le panier et sentit un frisson le parcourir.

Wallis jeta un regard derrière elle et déclara solennellement :

– 3D, Josh, Rose, permettez-moi de vous présenter le fantôme d'Amaury Ghost !

LE FANTÔME D'AMAURY GHOST

Les enfants fixèrent tour à tour Wallis, stupéfaits.

Elle leur adressa un clin d'œil et expliqua :

– Ne vous inquiétez pas, c'est sa façon de dire bonjour. On y va ?

Les trois amis échangèrent un regard perplexe puis lui emboîtèrent le pas.

L'escalier de bois les mena à une petite crique de sable fin.

3D et Josh posèrent le panier à l'ombre de gros rochers, et Wallis et Rose étendirent la couverture.

– Regardez, une grotte ! s'écria soudain Josh en désignant une cavité au pied de la falaise. Est-ce qu'elle est profonde ? demanda-t-il à Wallis en observant la mer s'y engouffrer.

– Je l'ignore, je n'y suis jamais allée. D'après Walker, elle est envahie de chauves-souris.

Ils pique-niquèrent comme des rois : sandwiches au poulet, pommes, cookies au chocolat et limonade.

Wallis indiqua l'horizon :

– La maison de Walker se trouve derrière ces arbres.

– Où est-il en ce moment ? questionna 3D.

– En mer, parti vérifier ses casiers.

– Comment sait-il où il les a posés ? demanda Josh.

– Eh bien, il a un bon compas sur le *Blue Sea* – c'est le nom de son bateau –, il connaît bien le coin, et des bouées sont attachées aux casiers. Elles indiquent leur emplacement, expliqua Wallis en s'essuyant les mains.

Après le pique-nique, Wallis rangea toutes leurs affaires dans le panier et leur proposa une promenade le long du rivage.

Rose sautait dans des flaques et ramassait des coquillages tandis que Josh avançait les pieds dans l'eau, ses baskets nouées autour du cou.

– Fais gaffe aux homards, le taquina 3D. Ils aiment les pieds qui puent.

Josh sourit et aspergea son ami.

– Et voici la maison de Walker, annonça Wallis tandis qu'ils approchaient d'une petite maison grise au toit rouge, blottie dans les dunes.

À cet instant, un appel retentit et 3D, observant la rive, découvrit une silhouette qui leur faisait signe, plantée au bout d'un ponton.

Wallis agita la main en réponse.

– Venez, les enfants, je vais vous présenter un ami, Robert Wildlife.

Ils remontèrent le ponton jusqu'à un long bateau vert aux cuivres rutilants et au pont immaculé.

L'homme tenait une éponge à la main. Ses cheveux noirs étaient coiffés en arrière. Ses yeux paraissaient très bleus dans son visage bronzé et ses dents étaient d'une blancheur étincelante.

– Salut, Rob ! lança Wallis. Je te présente Donald David Duncan alias 3D, Josh Pinto et Rose Hathaway.

L'homme sourit et tendit la main.

– Vous êtes des lecteurs passionnés des livres de cette dame ?

– Je les ai tous ! s'écria 3D.

– Je les ai rencontrés dans le Connecticut, expliqua Wallis. Ils passent une semaine au manoir. Et si tu venais dîner avec nous ce soir, Rob ?

– J'adore votre bateau, s'exclama Rose. Qu'est-ce qu'il est propre !

– Merci beaucoup, jeune demoiselle, lui répondit Robert dans un sourire. C'est d'accord Wallis, à ce soir !

Puis son regard se posa sur Josh.

– Tu m'aides à larguer les amarres ? lui proposa-t-il en désignant un cordage accroché au ponton.

Josh le détacha et le tendit à Robert.

– Ravi d'avoir fait votre connaissance, les enfants, lança-t-il en démarrant le moteur. À ce soir.

Et le bateau s'éloigna doucement.

– Finalement, peut-être que je ne serai pas écrivain quand je serai grand, déclara 3D. J'aimerais bien être pêcheur de homards, habiter au bord de la mer et avoir un beau bateau comme celui de Robert.

Wallis lui sourit.

– Je te conseille de suivre ta première idée, 3D. Il y a de moins en moins de homards dans le Maine.

– J'ai hâte de monter sur le bateau de Walker, intervint Rose.

– Le bateau de mon frère n'a rien à voir avec celui de Rob, l'avertit Wallis. C'est un vrai bateau de pêche, il sent le homard à plein nez. D'ailleurs je me demande comment fait Rob pour avoir un bateau si propre...

Ils retournèrent ensuite à la plage où ils avaient pique-niqué. Josh et Rose couraient sur le rivage en s'éclaboussant tandis que 3D marchait tranquillement près de Wallis.

Une mouette poussa un cri en passant au-dessus d'eux. 3D se tourna vers Wallis.

– Tu crois vraiment que c'est le fantôme d'Amaury Ghost qui a hurlé tout à l'heure ?

Wallis rit puis lui répondit :

– Tout ce que je sais, c'est que j'entends des cris depuis que j'ai emménagé au manoir. Évidemment, j'ai passé la maison au peigne fin, mais je n'ai rien trouvé.

3D frissonna.

– Tu entends souvent ces cris ?

– Ça dépend. Il peut s'écouler des semaines entières sans un bruit, puis soudain les cris reviennent pendant plusieurs jours.

Elle sourit à 3D.

– Pour tout t'avouer, 3D, c'est bien la seule énigme que je n'ai pas réussi à résoudre jusque-là. Je n'ai pas d'autre explication à fournir que celle du fantôme d'Amaury Ghost !

UNE CABANE MYSTÉRIEUSE

Quand ils eurent atteint le sommet de la falaise, Wallis prit le panier à pique-nique que les garçons portaient et déclara :

– Il faut que je travaille à mon nouveau roman. Et si vous en profitiez pour explorer la propriété ? Amaury Ghost a fait construire une cabane pour ses enfants dans le petit bois de pins. Allez y jeter un œil !

Elle ouvrit la porte d'entrée puis se retourna pour ajouter, les yeux tout brillants :

– Oh, j'oubliais ! On dit que le fantôme d'Amaury Ghost y passe beaucoup de temps, à la recherche de ses enfants. Soyez sur vos gardes !

Sur ces mots, elle entra dans le manoir.

Tandis qu'ils empruntaient un chemin qui s'enfonçait entre les pins, 3D raconta à ses amis ce que Wallis lui avait confié lorsqu'ils se promenaient sur la plage.

– Donc ce sont bien les cris d'un fantôme, conclut Josh. C'est flippant !

– Mais non ! protesta Rose. Les fantômes n'existent pas. Il s'agit sûrement d'un animal.

– Je ne crois pas, Wallis m'a dit qu'elle avait fouillé tout le manoir sans rien trouver, précisa 3D.

– Et puis aucun animal ne pousse des cris lugubres comme ceux qu'on a entendus, ajouta Josh.

Les trois amis se figèrent de surprise quand ils découvrirent la cabane. C'était une réplique miniature du manoir, peinte en gris, possédant un pont-levis miniature et entourée de douves peu profondes.

– Waouh ! s'exclama Josh.

– Allons voir l'intérieur ! s'écria Rose en se précipitant vers la porte qui s'ouvrit dans un souffle. Entrez donc mes seigneurs ! ajouta-t-elle en faisant la révérence.

– Place à Sa Majesté 3D, dit 3D en doublant Josh.

Les trois amis pénétrèrent dans une pièce poussiéreuse, faiblement éclairée par la lumière lugubre qui traversait les deux minuscules fenêtres envahies de toiles d'araignées.

– Brr, il fait froid là-dedans, remarqua Josh en se frottant les bras.

– Je suis sûre que personne n'a mis les pieds dans cette cabane depuis des années, commenta Rose.

Au centre de la pièce, une table ronde et deux petites chaises trônaient sur un tapis défraîchi.

Un service bleu miniature était rangé sur une étagère au-dessus d'un sofa où reposait un vieil ours en peluche.

– Cet endroit me met mal à l'aise, dit Josh.

– Regardez ! s'écria 3D. Il y a des traces de pas sur le tapis.

Il posa un pied sur l'une d'elles et ajouta :

– Des traces faites par de grands pieds.

– Est-ce que les fantômes laissent des empreintes ? s'inquiéta Josh.

– Peut-être que Walker Wallace est venu dans cette cabane, suggéra Rose. Ces empreintes sont trop grandes pour être celles de Wallis.

– Mais qu'est-ce que Walker viendrait faire ici ? s'étonna 3D.

– On s'en va ? demanda Josh d'une voix plaintive. Je viens de voir l'araignée la plus grosse de ma vie !

– D'accord, mais c'est triste de trouver une si jolie cabane dans cet état, on reviendra la nettoyer, répondit Rose en refermant la porte.

Alors qu'il traversait le pont-levis, le regard de 3D fut attiré par un éclat vert dans la douve. Il sauta dans le fossé et ramassa une plume verte.

– Regardez ! C'est la même plume que celle que j'ai trouvée hier sous la semelle de Josh !

Rose prit la plume et l'observa.

– À quelle sorte d'oiseau peut-elle bien appartenir ?

– Le perroquet est le seul oiseau à avoir des plumes de ce genre, lui répondit Josh après avoir examiné la plume à son tour. Mais il n'y a pas de perroquets en liberté dans le Maine.

3D reprit la plume et la rangea dans sa poche.

– Bon, maintenant, on fait ce dont j'ai envie, déclara Josh.

– Tu veux dire, manger ? lui demanda 3D d'un sourire moqueur.

– Non, je veux aller explorer la grotte de la plage, lui répondit Josh.

– Tu plaisantes ou quoi ! s'exclama 3D. Une simple cabane te donne la chair de poule et tu prétends explorer une grotte ?

– Les grottes, ça me plaît, décréta Josh. Allez, on y va !

Les trois amis contournèrent le manoir, franchirent le portail de la falaise et descendirent les escaliers de bois.

Bientôt, ils s'arrêtèrent près de la grotte où s'engouffrait la mer.

– Je me demande si cette grotte est profonde, s'interrogea 3D.

– Il n'y a qu'une seule façon de le découvrir, affirma Josh en s'enfonçant dans l'eau jusqu'aux mollets. Allez, venez !

3D et Rose s'élancèrent à sa suite dans la grotte où l'obscurité fut bientôt totale. L'air était froid et humide, et les parois glissantes.

– Josh, l'eau est glacée ! s'écria Rose d'une voix blanche. Je déteste cet endroit. On fait demi-tour ?

– C'est de plus en plus profond, renchérit 3D. Et je ne vous vois même plus !

– Taisez-vous ! ordonna Josh. J'ai entendu un bruit.

– Josh, arrête d'essayer de nous faire peur, protesta Rose. Je suis déjà assez…

Un cri strident emplit alors la grotte.

– Sauve qui peut ! hurla Rose.

Au-dessus de leurs têtes, des milliers de chauves-souris battaient des ailes en direction de la sortie.

À LA RECHERCHE D'UN PASSAGE SECRET

Les enfants ne s'arrêtèrent de courir qu'une fois en haut de la falaise. 3D s'allongea sur l'herbe pour reprendre son souffle.

– Qu'est-ce qui s'est passé ? demanda Rose en retirant ses baskets trempées. J'ai cru que mon cœur allait cesser de battre !

– C'est le fantôme ! s'écria Josh. Je suis prêt à parier que cette grotte conduit à des oubliettes construites sous le manoir. Et c'est peut-être là qu'Amaury Ghost a trouvé la mort !

Rose éclata de rire, mais Josh poursuivit en l'ignorant :

– Je suis sûr aussi qu'une porte secrète mène du manoir aux oubliettes, et je suis bien décidé à la trouver !

– Pars à sa recherche si tu veux, déclara 3D, moi je rentre prendre une douche et me changer.

– Moi aussi, approuva Rose. Je suis frigorifiée !

Lorsqu'ils arrivèrent au manoir, la Jeep de Walker Wallace était garée devant l'entrée.

Après s'être changés, les trois amis se ruèrent dans la cuisine où Wallis, Walker et Robert, assis à la longue table, épluchaient des épis de maïs.

– Salut les enfants, s'écria Walker. Alors, votre balade s'est bien passée ?

– C'était génial, répondit Josh en jetant un regard en coin à 3D. On a exploré la cabane et ramassé des coquillages sur la plage.

3D comprit que son ami souhaitait garder pour lui sa théorie des oubliettes.

– Au menu de ce soir : homards et maïs grillé ! s'exclama Wallis. J'espère que vous avez faim !

Après le dîner, Walker, Robert Wildlife et Wallis se lancèrent dans une partie de Scrabble.

– Vous voulez jouer avec nous ? leur proposa Wallis.

– Euh… en fait je pense que je vais aller lire un peu, répondit Josh en faisant signe à 3D et à Rose de le suivre.

Ils se retrouvèrent quelques minutes plus tard dans le couloir.

– Ils sont absorbés par leur partie de Scrabble, profitons-en pour fouiller la maison, dit-il à ses amis.

– Qu'est-ce qu'on cherche exactement ? lui demanda 3D.

– Une porte ou un passage secret qui conduirait aux oubliettes, répliqua Josh en tapotant le mur le plus proche pour le sonder.

– Josh, tu ne crois pas que Wallis nous aurait parlé d'une porte secrète s'il y en avait une ? observa Rose.

– Elle peut très bien ignorer son existence, rétorqua-t-il.

– Je pense que Josh a raison, on devrait jeter un coup d'œil, suggéra 3D. Il faut bien que ces cris étranges viennent de quelque part.

– Commençons par explorer le toit, proposa Rose.

Ils se dirigèrent vers la porte du fond du couloir, qui s'ouvrit sur des escaliers obscurs.

Quand ils pénétrèrent sur le toit, une brise fraîche venue de l'océan caressa leurs visages.

– Ouah ! Quelle vue on a d'ici ! s'émerveilla Josh. C'est l'endroit idéal pour faire du cerf-volant.

3D, debout entre deux créneaux plus hauts que lui, s'imagina être un souverain contemplant son royaume.

– Aucune trace d'un passage secret débouchant ici, déclara Josh au bout d'un moment.

– Alors descendons.

Les enfants dévalèrent les escaliers jusqu'au palier.

Rose fouilla sa chambre pendant que les garçons s'occupaient de la leur. 3D commença par l'armoire : il n'y trouva qu'une vieille raquette de tennis couverte de poussière.

Il l'utilisa pour sonder le plancher sous les lits, mais ne parvint qu'à déranger quelques araignées qui prirent la fuite.

Soudain un cri déchirant s'éleva de la salle de bains :

– Au secours, 3D ! Il m'a attrapé ! Au secours !

3D se précipita en brandissant la raquette.

Mais lorsqu'il pénétra dans la salle de bains, Josh avait disparu.

– Josh ? Où es-tu ? Réponds ! s'écria-t-il, paniqué.

Le rideau de douche se souleva brusquement, révélant Josh qui souriait de toutes ses dents.

– Bouh ! Je t'ai bien eu ! se moqua-t-il en éclatant de rire.

– C'est débile ce que tu viens de faire, s'écria 3D en hochant la tête. Tu mériterais que le fantôme vienne vraiment te chercher !

– Le fantôme ? Je pensais que tu n'y croyais pas !

3D préféra ignorer cette remarque et se contenta de hocher la tête à nouveau. Puis il sortit de la salle de bains et alla frapper à la porte de Rose.

– Tu as trouvé quelque chose ?

– Non, rien.

Ensemble, ils entreprirent alors d'explorer le long couloir. Ils regardèrent derrière les radiateurs, cherchèrent un indice dans les pots de fleurs et jusque dans un imposant porte-parapluies.

Josh, lui, sondait les murs avec application.

En vain.

En sueur, couverts de poussière, ils finirent par abandonner.

– Je crois qu'on a cherché partout maintenant, soupira 3D.

– On n'a pas encore exploré le rez-de-chaussée, lui fit remarquer Josh.

– Eh bien on s'en occupera demain, lui dit Rose en bâillant. Je vais me coucher. J'espère que je ne vais pas rêver de fantômes et de passages secrets à cause des idées farfelues d'un certain Josh Pinto !

– Il me semble avoir lu quelque part que les fantômes adoraient les cheveux bouclés, lui dit Josh en riant.

– Mais oui, c'est ça ! répondit Rose avant de claquer la porte de sa chambre.

3D et Josh allèrent se coucher eux aussi et ils s'endormirent immédiatement.

Quelques heures plus tard, 3D se réveilla en sursaut, le cœur battant à tout rompre. Il regarda son réveil, qui indiquait… minuit !

Il se leva et s'approcha de la fenêtre sur la pointe des pieds. Les pins sombres se découpaient sur un ciel couleur d'encre. Et une lumière spectrale se déplaçait là-bas, près de la cabane...

UNE LUMIÈRE DANS LA NUIT

3D déglutit avec peine et sentit la chair de poule remonter le long de ses jambes. S'agissait-il du fantôme d'Amaury Ghost ?

La lumière vacilla à plusieurs reprises avant de disparaître.

3D se frotta les yeux, puis, comme plus rien ne se passait, il retourna se coucher.

Mais au moment de sombrer dans le sommeil, il rouvrit grand les yeux. D'où pouvait bien provenir cette lumière ? Cette question le poursuivit jusqu'à ce qu'il se rendorme.

Il rêva qu'il était de retour dans la grotte. L'obscurité était totale. Un hurlement atroce retentissait soudain et s'amplifiait. Des ailes de chauves-souris giflaient son visage. Mais ces ailes étaient pourvues de plumes, des plumes vertes !

Quand 3D revint à la réalité, il était assis dans son lit, les jambes entortillées dans les draps, et le réveil sonnait avec insistance.

« Je ne suis pas dans la grotte, réalisa-t-il avec soulagement, je suis au manoir, dans ma chambre. »

Il éteignit le réveil et se tourna vers Josh qui dormait profondément.

– Eh Josh, réveille-toi.

– Pourquoi ? lui répondit son ami en ouvrant péniblement un œil.

– On part pêcher avec Walker ! lui rappela-t-il en se levant.

Il alluma la lumière et arracha les couvertures du lit de Josh en s'exclamant :

– Allez, debout, il est l'heure de partir à la chasse au homard !

– Je hais les homards, grogna Josh en se levant.

– Tu en as pourtant mangé un entier hier soir, remarqua 3D en riant.

Il passa son jean et enfila un sweat par-dessus son tee-shirt.

– Je descends déjeuner. Ne te recouche pas, surtout !

En chemin, 3D frappa à la porte de Rose.

Elle était réveillée et habillée en jaune de pied en cap.

– Est-ce que tu as remarqué quelque chose de bizarre pendant la nuit ? lui demanda-t-il.

Rose, qui se brossait les cheveux, secoua la tête négativement.

– Eh bien moi, si ! lui dit-il. Je te raconterai pendant le petit-déjeuner.

La lumière de la cuisine était allumée. Une bouteille de jus d'orange, une boîte de céréales et des muffins étaient posés sur la table. Quand Josh et Rose arrivèrent, 3D mastiquait très bruyamment un muffin.

– Les amis, quelqu'un rôdait dans la propriété cette nuit, leur annonça-t-il avant de leur décrire ce qu'il avait vu.

Josh attrapa un muffin et en croqua une énorme bouchée avant de déclarer :

– C'est le fantôme d'Amaury.

Il tenta de sourire la bouche pleine.

– Très drôle, Josh, se moqua Rose.

Un bruit sourd retentit alors dans le débarras et la porte qui le séparait de la cuisine s'ouvrit avec fracas. De terreur, Josh faillit tomber de sa chaise.

Ce ne fut pas le fantôme d'Amaury mais Walker qui pénétra dans la cuisine à grands pas, vêtu de hautes bottes en caoutchouc et d'un ciré jaune.

– Vous êtes prêts, les enfants ?

– Josh t'a pris pour un fantôme, pouffa 3D, soulagé lui aussi.

– Même pas vrai, marmonna Josh.

Ils suivirent Walker et s'assirent dans sa Jeep. Le ciel était noir. 3D scruta le bois de pins. Mais l'étrange lumière ne réapparut pas.

Quelques minutes plus tard, Walker garait la voiture dans l'allée qui menait à sa maison. Ils gagnèrent le ponton où était amarré le *Blue Sea*.

– Fais attention où tu mets les pieds, avertit Walker en braquant sa lampe torche devant 3D qui avait le visage tourné vers le ciel, tu pourrais tomber.

Quelques étoiles scintillaient au-dessus de la mer. Le cri d'une mouette retentit.

– Prêts à embarquer, moussaillons ? s'enquit Walker.

– Prêts ! s'exclamèrent d'une même voix les trois amis en montant à sa suite sur le pont.

UNE PÊCHE FRUCTUEUSE

– Enfilez tous un gilet de sauvetage, ordonna Walker en désignant des gilets orange accrochés dans la cabine, nous partons.

Walker démarra le moteur et le petit bateau s'éloigna du ponton.

– D'ici une heure environ nous atteindrons mes casiers, les informa-t-il en forçant sa voix pour couvrir le bruit du moteur. Mettez-vous à l'aise !

Rose et Josh se roulèrent en boule sur le banc où ils avaient pris place, mais 3D, lui, s'assit à la proue, décidé à ne rien manquer. Il se concentra sur le bruit des vagues frappant la coque qui fendait péniblement les flots noirs.

Quand la lueur jaune pâle du matin envahit peu à peu la ligne d'horizon, il se rappela soudain la lumière qu'il avait observée quelques heures plus tôt près de la cabane. Avait-elle un rapport avec les cris étranges et les deux plumes vertes ?

Bercé par le roulis, il se laissa bientôt gagner par le sommeil. Lorsque Walker le réveilla, le soleil était haut dans le ciel.

Le bateau se balançait d'avant en arrière et, lorsqu'il se leva, 3D eut du mal à conserver son équilibre.

– Où sommes-nous ? demanda-t-il à Walker.

– À huit kilomètres de la côte environ, lui répondit le pêcheur. Réveille Rose et Josh, nous allons bientôt déjeuner.

Ils s'assirent dans une flaque de soleil pour manger des sandwiches au beurre de cacahuète et burent du chocolat chaud onctueux qui sortit fumant du thermos que Walker avait apporté.

– Est-ce que ce sont tous des pêcheurs de homards ? s'enquit 3D en désignant les bateaux alentour.

– Pratiquement tous, oui, acquiesça Walker.

– Comment s'y prend-on pour remonter les casiers ? demanda Josh en se penchant par-dessus le bastingage.

– On utilise ce treuil, lui expliqua le frère de Wallis en désignant un appareil accroché à l'arrière du bateau. Je vais vous montrer.

Il enfila des gants de caoutchouc et empoigna une gaffe dont il se servit pour ramener à lui le filin d'une bouée. Puis il l'enroula autour du treuil, appuya sur un bouton. Le filin remonta à toute allure et, à peine quelques secondes plus tard, un casier couvert d'algues se balançait au-dessus de l'eau.

Walker le posa sur le pont.

Quelques étrilles s'en échappèrent.

– Voyons voir ce que nous avons pêché, dit Walker en rejetant les petits crabes à la mer.

Il ouvrit le casier et en sortit un gros homard vert foncé qui agitait ses pinces avec colère.

– Surtout les enfants, soyez très prudents ! Ces pinces sont assez puissantes pour sectionner un doigt.

Il passa un élastique autour de chaque pince puis déposa le homard dans un aquarium rempli d'eau de mer.

– Josh, apporte-moi l'appât, s'il te plaît.

Josh traîna le lourd seau d'appâts jusqu'à Walker, qui en tira une tête de poisson.

– Pouah ! s'écria Josh.

– Les homards aiment ça, eux, remarqua Walker en déposant l'appât dans le casier.

Puis il en referma la porte et remit le casier à l'eau.

– Et voilà, s'exclama-t-il. C'est comme ça que ça se passe.

– Est-ce qu'on peut remonter un casier ? s'enquit 3D.

– Bien sûr ! Cherchez des gants dans ce coffre.

Rose trouva trois paires de gants épais pendant que Walker relevait un autre casier. Il en sortit un homard gigotant qu'il tendit à Josh.

– Prends-le par le dos, comme ça il ne pourra pas te pincer, conseilla-t-il.

Pendant que Josh tenait l'animal des deux mains, Rose et 3D lui passèrent des élastiques aux pinces.

– Qui veut déposer l'appât dans le casier ? demanda Walker.

3D se porta aussitôt volontaire et plongea la main dans le seau dont il tira une tête de poisson sanguinolente tandis que Josh faisait mine de réprimer un haut-le-cœur. Rose, elle, remit le casier à l'eau.

Il commençait à faire chaud, et ils ôtèrent leurs pulls. La mer était calme et des mouettes survolaient le bateau à la recherche de nourriture.

– Regardez, voici Rob ! s'exclama soudain Walker.

Quelques minutes plus tard, Robert Wildlife plaçait son bateau contre celui de Walker et jetait un cordage à 3D.

– Alors, bonne pêche ?

Il était vêtu d'un tee-shirt et d'un jean blancs, et tenait une tasse de café à la main.

– On a pris quelques homards, l'informa Walker. Je dois dire que mon équipage m'a bien aidé, ajouta-t-il en désignant les trois enfants.

– Vous allez remonter des casiers, vous aussi ? demanda Josh à Rob.

– Non, pas aujourd'hui, petit, lui répondit l'homme avec un grand sourire. Je suis juste sorti pour vérifier qu'ils étaient toujours là. Envoie-moi la corde, s'il te plaît.

3D s'exécuta et Rob rattrapa le cordage de sa main libre.

– Bonne journée ! leur lança-t-il comme son bateau s'éloignait.

3D se tournait vers ses amis, lorsqu'un objet sur le pont du *Blue Sea* attira son attention. Une plume verte brillait sous le soleil.

NOUVELLE DÉCOUVERTE

Sous le regard interloqué de Rose, 3D ramassa la plume et se contenta de hausser les épaules avant de la mettre dans sa poche.

– Prêts à rentrer ? leur demanda Walker. J'ai promis à Wallis que vous seriez de retour pour le déjeuner.

Le marin démarra le moteur et le bateau se dirigea vers la côte à un rythme poussif.

Une fois le *Blue Sea* amarré au ponton, les enfants aidèrent Walker à nettoyer le pont constellé d'algues, puis il les conduisit à *Moose Manor*.

– Je crois que Wallis est sortie faire des courses, sa voiture n'est pas là, observa Walker lorsqu'ils arrivèrent. Vous saurez vous débrouiller tout seuls en attendant son retour ?

– Ça ira, mais j'ai un peu faim, répondit Josh en souriant.

– Prenez les restes du déjeuner, lui dit Walker en lui tendant le pain et le pot de beurre de cacahuète.

Puis il leur fit un signe de la main et démarra.

– Où est-ce qu'on s'installe pour manger ? demanda Josh à ses amis.

– Et si on allait à la cabane ? proposa Rose. Je pourrais laver la vaisselle, ajouta-t-elle en avisant un arrosoir qu'elle remplit au robinet extérieur.

En chemin, 3D sortit de sa poche les trois plumes qu'il y avait glissées, et raconta à ses amis comment il avait trouvé la troisième sur le pont du bateau de Walker.

Ils les observèrent attentivement à la lumière du soleil.

– Elles sont identiques, conclut Josh.

– Mais d'où peuvent bien venir ces plumes de perroquet ? s'étonna Rose en fronçant les sourcils.

– D'un perroquet, comme tu viens de le dire, répondit Josh, taquin.

– Merci, Josh, très drôle ! répliqua-t-elle.

3D, lui, se souvint alors de son rêve de la nuit passée : des chauves-souris couvertes de plumes vertes, hurlant dans le noir.

Rose poussa la porte du manoir miniature, et les garçons la suivirent à l'intérieur.

– Il fait froid, ici, se plaignit Josh. L'atmosphère est lugubre. On serait mieux dehors au soleil pour pique-niquer, non ?

3D approuva et l'aida à transporter la petite table à l'extérieur. Pendant ce temps, Rose étala la vaisselle sur l'herbe pour la laver.

– Le tapis est plein de poussière, lui aussi, observa 3D. On devrait le secouer.

– Et si on mangeait avant de travailler ? suggéra Josh, occupé à étaler du beurre de cacahuète sur une tranche de pain et à se verser un verre de Coca. Mon ventre n'arrête pas de gargouiller.

– Je vais te dire, ton ventre commence à… intervint 3D qui, à genoux dans la cabane, roulait le tapis. Eh, venez voir ! s'écria-t-il soudain.

– J'espère qu'il n'a pas découvert une nouvelle plume verte, dit Josh en rejoignant tranquillement son ami.

3D, toujours agenouillé, pointait du doigt une trappe dans le plancher.

– Super ! s'exclama Josh. Tu as trouvé le passage secret qui conduit aux oubliettes !

– Ouvrons-la vite ! ordonna Rose qui venait de débouler dans la cabane.

La trappe était fermée par un loquet que Rose releva sans peine et, en unissant leurs forces, les trois amis parvinrent à soulever la lourde trappe qui céda avec un bruit sinistre. Un air froid et humide envahit la pièce.

– Pouah, quelle odeur ! marmonna Josh en se bouchant le nez.

Puis ils se penchèrent tous les trois au-dessus du trou poussiéreux.

Un escalier s'enfonçait dans le noir. Sur les premières marches, ils distinguèrent des traces de pas.

– Ce sont les mêmes empreintes que sur le tapis, remarqua 3D.

À cet instant, un cri lugubre monta jusqu'à eux, les faisant reculer précipitamment.

AU BOUT DU TUNNEL

– Il y a quelque chose en bas ! murmura Rose.

– Pas quelque chose, répliqua Josh, les yeux écarquillés, quelqu'un ! C'est le fantôme d'Amaury Ghost…

3D mit la main dans sa poche pour toucher les trois plumes de perroquet. Il prit une profonde inspiration puis posa un pied sur la première marche.

– Je vais voir, dit-il à ses amis.

3D descendit très prudemment, ses mains effleurant les murs glacés, en essayant de ne pas penser à toutes les bestioles gluantes susceptibles de se balader dans cet endroit humide.

Soudain, sa main rencontra un objet dur et carré : un interrupteur ! Il l'actionna, et l'escalier fut inondé de lumière.

– J'arrive dans un tunnel ! annonça-t-il à Rose et à Josh.

À ces mots, Rose se précipita dans l'escalier en criant :

– Josh, tu viens ?

Ce dernier soupira avant de lui répondre :

– D'accord, mais je vous préviens que si quelqu'un ou quelque chose me touche, je sors de là illico !

Le tunnel étroit et glacial était éclairé régulièrement par des ampoules couvertes de toiles d'araignées. L'odeur empirait à chaque pas qu'ils effectuaient sur le sol en terre battue.

Le tunnel avançait en ligne droite puis obliquait brutalement.

– Écoutez, leur dit Rose. J'entends un bruit d'eau.

– Je n'aime pas ça, murmura Josh, je n'aime pas ça du tout !

Effectivement, quelques mètres plus loin, 3D se retrouva tout à coup les pieds dans l'eau. Lorsqu'un cri strident retentit à nouveau, il se figea.

Josh lui passa le bras autour du cou et prononça d'une voix aiguë :

– Qu'est-ce que c'était ?

– Josh, tu m'étrangles ! coassa 3D.

– Oh, pardon ! s'excusa Josh.

– Où sommes-nous ? intervint Rose.

Ils se trouvaient à l'entrée d'une grotte dont les parois suintaient d'humidité et dont le sol était complètement recouvert d'eau. Sur leur gauche s'ouvrait un autre tunnel.

– Je crois que je sais, répondit 3D dans un souffle.

– Moi aussi ! s'exclama Josh. On est arrivés dans les oubliettes, et je croise les doigts pour qu'on ne rencontre aucun squelette !

– Je pense que si on avait continué à remonter le courant hier, on aurait alors débouché dans cette grotte, reprit 3D.

– Ce tunnel est vraiment long ! s'étonna Rose. Il y a une bonne distance de la cabane à l'océan.

Soudain un cri rauque retentit dans leur dos. Josh sursauta de frayeur et heurta 3D qui faillit tomber.

– Regardez ! dit alors Rose en désignant du doigt un renflement sombre sur la paroi derrière eux.

3D s'en approcha en pataugeant dans l'eau froide.

– C'est une bâche, dit-il.

Il prit sa respiration, saisit un des coins de la bâche, et la souleva d'un coup, découvrant deux cages posées l'une sur l'autre. Dans chacune de ces cages se trouvaient quatre gros perroquets verts.

Paniqués, les oiseaux se mirent à battre des ailes contre les barreaux tout en poussant des cris déchirants dont l'écho se propagea dans la grotte.

– Je crois qu'on vient de découvrir le fantôme d'Amaury Ghost, remarqua Rose, espiègle.

– Quel soulagement ! répondit Josh dans un éclat de rire. Je ne sais pas comment j'aurais réagi si je m'étais trouvé face à face avec lui.

3D sortit les trois plumes vertes de la poche de son jean et les compara à celles du perroquet le plus proche.

– Ce sont les mêmes, conclut-il.

– Mais qu'est-ce qui se passe ici ? s'étonna Rose. Pourquoi cacher des perroquets dans une grotte ?

– Je n'en ai aucune idée, répliqua 3D.

– Les garçons ! s'exclama soudain Rose d'une voix affolée. La marée monte, j'ai de l'eau jusqu'aux chevilles !

– Les perroquets ! s'écria Josh.

La cage du dessous prenait l'eau, et les perroquets se recroquevillaient sur leurs perchoirs.

– Il faut qu'on les sorte d'ici, déclara 3D en empoignant la cage du dessus qu'il traîna jusqu'au tunnel.

Josh et Rose attrapèrent la seconde cage et le suivirent en courant.

Une fois au pied de l'escalier, 3D leva la tête en direction de la trappe.

– Oh oh…

– Quoi ? Qu'est-ce qui se passe encore ? lui demanda Rose d'une voix blanche.

– Je croyais qu'on avait laissé la trappe ouverte, remarqua 3D.

– On avait laissé la trappe ouverte, intervint Josh.

– Eh bien, elle est fermée à présent ! les informa 3D en posant la cage sur le sol avant de gravir les marches.

Une fois en haut il poussa de tout son poids contre la trappe, sans succès.

Josh le rejoignit et l'aida à pousser, en vain.

– Ça ne sert à rien de s'acharner, affirma 3D. Quand la trappe s'est refermée, le loquet a dû retomber.

– Qu'est-ce qu'on fait maintenant ? s'inquiéta Rose. La marée monte et...

– Vite, il y a une autre issue, lui rappela 3D en dévalant l'escalier. Mais il va falloir nager.

PRIS AU PIÈGE

– Une autre issue ? s'étonna Rose. Tu es sûr ?

– Oui, on peut retourner dans la grotte et sortir par le tunnel qui donne sur la plage, expliqua 3D.

– Tu oublies qu'il y a des chauves-souris là-bas !

– On n'a pas vraiment le choix, trancha Josh.

Ils traînèrent les cages en sens inverse dans le tunnel. Ce n'était pas du goût des perroquets qui battaient des ailes, affolés.

Lorsqu'ils débouchèrent dans la grotte, l'eau leur arrivait aux genoux.

– On ferait bien de se dépêcher ! cria Josh.

– Je me demande à quelle distance de la plage on peut être, s'interrogea Rose en scrutant le tunnel où ils allaient s'engager.

– Sûrement plus très loin, la rassura 3D. On se trouve probablement sous le manoir.

Il tendit sa cage à Rose et entra dans l'eau. Elle lui arrivait à la taille.

– Elle est froide, mais on a largement pied, déclara-t-il en frissonnant. On pourra porter les cages jusqu'à la sortie.

– Si l'eau continue de monter, on ne va quand même pas porter les cages sur nos têtes ! s'inquiéta Josh. Il nous faudrait un radeau.

– J'ai une idée ! intervint Rose. On peut fabriquer des radeaux avec nos jeans ! J'ai lu ça dans un magazine pour enfants. Il suffit de faire un nœud à l'extrémité de chaque jambe, et le jean flotte.

– Tu veux qu'on se déshabille ? s'offusqua Josh. Pas question !

– Mais si, c'est une super idée ! s'exclama 3D, qui remonta aussitôt sur la berge, retira ses baskets et son jean, et entreprit de mettre en application l'idée de Rose.

– Allez, Josh, s'écria-t-il. Dépêche-toi, l'eau monte !

– D'accord, d'accord, murmura Josh, n'empêche que ça me gêne.

Il se déshabilla à son tour. L'eau atteignait désormais le bas de son caleçon.

3D fit subir le même sort au jean de son ami qu'au sien, puis les jeta dans l'eau. Les jeans pleins d'air flottaient bel et bien !

– Vous êtes prêts ? demanda 3D.

Les trois amis descendirent dans l'eau et posèrent les deux cages sur le radeau improvisé.

– Ça marche ! se réjouit Rose.

– Cette eau est glacée et dégoûtante, protesta Josh.

– Oui, mais au moins on a pied, rétorqua 3D. Allons-y.

À mesure qu'ils s'éloignaient de la grotte, l'obscurité grandissait. Le niveau d'eau continua à monter jusqu'au moment où il s'arrêta à leur poitrine.

Les perroquets étaient parfaitement calmes, comme s'ils avaient deviné que les enfants étaient en train de les sauver.

– Est-ce que vous croyez qu'il y a des requins dans le coin ? s'enquit Josh dont la voix résonna contre les parois.

– Non, le rassura 3D, seulement des homards mangeurs d'hommes !

Soudain un murmure emplit la pénombre qui les entourait.

– Qu'est-ce que c'est que ce bruit ? demanda Rose.

– Calme-toi, répondit Josh dans un éclat de rire, ce sont les chauves-souris, on a dû les réveiller.

– Elles ne sont pas méchantes, hein ? s'inquiéta Rose.

– Non, rien à craindre si tu n'es pas un insecte.

Enfin, la lumière du jour pénétra dans le tunnel : la sortie était proche.

– On a réussi, les amis ! s'enthousiasma 3D.

Ils traînèrent leur radeau improvisé jusqu'à la plage, non loin de l'endroit où ils avaient pique-niqué la veille.

– Quel bonheur de sentir la chaleur du soleil ! s'exclama Josh en s'allongeant sur le sable.

Ils se reposèrent un moment, le temps de reprendre leur souffle et de laisser sécher les jeans que 3D et Josh avaient étendus sur le sable.

– Je viens de me souvenir d'un livre sur les espèces protégées, dit soudain Josh, et il me semble bien que les perroquets en font partie.

– Mais qui cacherait des perroquets en voie d'extinction dans une grotte ? protesta Rose.

– Des braconniers qui capturent des animaux rares pour les revendre, répondit Josh.

– Oui mais qui ? s'obstina Rose.

– Quelqu'un qui connaît l'existence de ce passage secret, ajouta Josh en haussant les épaules.

– Je crois savoir qui est le coupable, intervint 3D.

Ses amis se tournèrent vers lui.

– Ah oui ? Qui ? questionna Josh.

– Walker Wallace, affirma 3D avec tristesse.

LE COUPABLE DÉMASQUÉ !

– COMMENT ? hurla Rose. Mais tu es complètement fou !

– Et pourtant, j'ai trouvé la première plume verte dans la Jeep de Walker et la troisième sur le pont de son bateau, rétorqua 3D en hochant la tête.

– Et hier, quand on pique-niquait, Wallis a bien dit que Walker était déjà allé dans la grotte, renchérit Josh. Peut-être que c'est ce jour-là qu'il a découvert la trappe menant à la cabane.

– Et les empreintes sur le tapis sont assez grandes pour être les siennes, conclut 3D.

Rose se releva et épousseta le sable collé à son jean mouillé.

– Je ne partage pas du tout votre avis, déclara-t-elle. Walker n'est pas du genre à violer la loi.

– J'espère que tu as raison, soupira 3D. En attendant, on ferait bien d'emporter les perroquets au manoir et d'avertir Wallis.

Quelques minutes plus tard, les trois amis faisaient irruption dans la cuisine de Wallis, qui écrivait, assise à la table.

– On sait d'où viennent les cris ! s'exclama 3D.

Ils lui racontèrent leur découverte de la trappe, leur traversée du tunnel menant à la grotte et aux perroquets.

– Une trappe secrète dans la cabane ? Et un tunnel ! C'est incroyable ! s'écria-t-elle. Je comprends maintenant comment Amaury Ghost est parvenu à acheminer le mobilier jusqu'au manoir.

– Qu'est-ce qu'on va faire des perroquets ? intervint Rose.

– Montrez-les-moi, proposa Wallis.

Ils se précipitèrent dans le débarras, provoquant l'affolement des oiseaux qui battirent des ailes.

– Les pauvres, compatit Wallis. Il faudrait les nourrir, non ? Qu'est-ce que ça mange, un perroquet ?

– Est-ce que tu as des fruits ? lui demanda Josh. C'est leur nourriture préférée dans la forêt équatoriale.

Wallis regagna la cuisine.

– Je me demande d'où ils viennent, dit Rose.

– Probablement d'Afrique ou d'Amérique du Sud, suggéra Josh après avoir observé les oiseaux.

– Et comment les braconniers s'y sont-ils pris pour les amener jusque dans le Maine ? questionna 3D.

– Sûrement par bateau, supposa Josh. Un bateau comme celui de Walk...

Il s'interrompit alors que Wallis revenait avec deux bananes épluchées et une grappe de raisin. Ils déposèrent les fruits dans les cages et les oiseaux se jetèrent sur la nourriture.

– Ils mouraient de faim ! constata Wallis en plaçant un bol d'eau dans chaque cage.

– J'ai faim, moi aussi, réalisa Josh. On n'a pas déjeuné !

– On va arranger ça, déclara Wallis. Suivez-moi dans la cuisine.

Pendant que Wallis préparait des sandwiches, 3D évoqua la lumière étrange qu'il avait aperçue la nuit précédente dans les bois.

– Je suis prêt à parier qu'il y avait d'autres cages dans la grotte, et que les braconniers en ont récupéré une partie la nuit dernière en passant par la cabane, conclut-il. Ils vont sûrement revenir chercher celles que nous avons emportées.

– On devrait s'y cacher pour les prendre sur le fait ! suggéra Rose.

– Hors de question, réagit Wallis. Ces gens sont peut-être dangereux.

Elle mit des assiettes et des serviettes sur la table et poursuivit :

– Demain matin je préviens les autorités.

Wallis regarda 3D, Josh et Rose.

– Promettez-moi que d'ici là vous ne retournerez ni dans le tunnel ni dans la grotte, ajouta-t-elle.

– C'est promis, répondit 3D après avoir adressé un clin d'œil discret à ses deux amis.

Après le déjeuner, ils retournèrent à la cabane pour laver la vaisselle et secouer le tapis.

– J'aimerais vraiment attraper ce braconnier, déclara 3D.

– Moi aussi, approuva Josh. Et il n'y a qu'une solution : passer la nuit dans la cabane et arrêter tous ceux qui y entreront.

– Ce sont plutôt eux qui nous attraperont, Josh, observa Rose.

– Et puis Wallis ne nous laissera jamais dormir ici, remarqua 3D. J'ai une meilleure idée !

À 1 h 30 du matin, les trois amis, entièrement vêtus, se tenaient à la fenêtre de la chambre des garçons.

– Peut-être que personne ne viendra ce soir, dit Josh dans un bâillement.

– Peut-être que Walker sait qu'on a récupéré les cages, renchérit 3D. Il a pu nous voir de son bateau.

– Je reste convaincue de l'innocence de Walker, dit Rose. Si le braconnier ne sait pas qu'on les a récupérées, il viendra nourrir les perroquets.

– Oui, c'est vrai, approuva 3D. On n'a qu'à se relayer pour surveiller la cabane. Allez dormir, je commence.

– Réveille-moi si tu vois des malfaiteurs, dit Josh en se jetant sur son lit.

– Je ne suis pas fatiguée, je reste avec toi, 3D, murmura Rose.

Ils scrutèrent ensemble la pénombre pendant de longues minutes.

Josh se mit à ronfler.

– Regarde, dit soudain Rose.

Une lumière se déplaçait doucement dans les bois.

– Vite ! Réveille Josh ! On y va ! s'écria 3D.

Les trois amis passèrent devant la chambre de Wallis sur la pointe des pieds, puis dévalèrent les escaliers et traversèrent la cuisine et le débarras à la vitesse de l'éclair. Ils se dirigèrent ensuite le plus discrètement possible vers la cabane.

Le clair de lune illuminait la clairière et une voiture foncée était garée non loin.

3D attrapa Josh et Rose par le bras et leur désigna le véhicule : c'était la Jeep de Walker !

– On dirait que vous aviez raison, constata Rose tristement.

Ils s'avancèrent à petits pas jusqu'à la fenêtre de la cabane. Là, ils virent un homme penché vers le sol, en train d'ouvrir la trappe. Une torche électrique était posée par terre, près de ses pieds.

Lorsque l'homme se redressa, son visage fut brièvement éclairé par la lueur de la torche et 3D le reconnut immédiatement.

Il sentit Rose lui agripper le bras, puis elle murmura :

– Robert Wildlife !

Un instant après, Rob disparaissait dans les profondeurs du souterrain.

Josh se rua alors à l'intérieur de la cabane et, avant que 3D ait pu réagir, il poussa la trappe qui retomba d'un coup sec, provoquant la fermeture du loquet.

MISSION ACCOMPLIE

– Qu'est-ce que c'est, au juste, Opération Braconnage ? demanda 3D à Wallis le lendemain à la table du petit-déjeuner.

– C'est le nom du service spécialisé dans la poursuite des braconniers, lui expliqua-t-elle en posant une pile de crêpes toutes chaudes sur la table de la cuisine.

La nuit précédente avait été courte pour tout le monde. Après avoir refermé la trappe sur Rob, 3D, Josh et Rose s'étaient précipités au manoir pour réveiller Wallis. Elle avait immédiatement appelé la police pour signaler la présence d'un braconnier dans son parc.

Les policiers étaient arrivés sur-le-champ, et avaient arrêté Robert Wildlife en flagrant délit.

– Rob va avoir des comptes à rendre au service antibraconnage, déclara Walker qui les avait rejoints. Faire du trafic d'animaux protégés est un crime puni par la loi.

– Comment se procurait-il les perroquets ? demanda Josh.

– Il devait avoir des contacts dans le pays où on les capture. La police va éplucher ses factures téléphoniques pour mettre la main sur ses complices.

– Pour le transport, il utilisait son bateau de pêche, supposa Wallis en hochant la tête. Pas étonnant qu'il soit toujours si propre…

– Comment se fait-il qu'il se soit servi de ta Jeep, Walker ? demanda Josh.

– Sa voiture est tombée en panne il y a quelques jours, alors je lui ai prêté la mienne, expliqua Walker en attrapant une nouvelle crêpe.

– C'était une affaire bien rodée, continua Wallis. Rob connaissait des gens prêts à payer très cher pour acquérir des perroquets.

– Est-ce qu'il revendait aussi d'autres animaux, comme des singes ou des serpents ? questionna Josh.

– On va bientôt le découvrir, lui répondit Walker avant de lui adresser un clin d'œil complice. Comment t'est venue l'idée de refermer la trappe sur Rob ?

– J'étais en colère, expliqua Josh. J'avais envie qu'il comprenne ce qu'on ressent lorsqu'on est prisonnier d'une cage.

– La première plume, celle que j'ai retrouvée collée à la basket de Josh, elle venait bien de Rob, hein ? intervint soudain 3D.

– Oui, elle a dû tomber de sa chaussure un jour où il m'a emprunté la voiture, confirma Walker. Tout comme celle que tu as trouvée sur le pont de mon bateau.

– Tu sais, pendant un moment on a cru que c'était toi, le braconnier, avoua Josh en rougissant.

– Vous avez eu des soupçons, mais moi jamais ! protesta Rose.

– Merci, Rose, lui dit Walker en souriant. Qu'est-ce qui te rendait si sûre de mon innocence ?

– Tu es trop occupé pour avoir le temps de faire du trafic d'animaux, répondit-elle. Et je ne parvenais pas à t'imaginer en train de maltraiter des oiseaux, surtout après t'avoir vu rejeter les étrilles à la mer l'autre jour.

– Que vont devenir les perroquets ? demanda 3D.

– Ils seront probablement renvoyés d'où ils viennent, répondit Walker. Rob, lui, ira sûrement en prison.

– Merci encore les enfants. Grâce à vous je ne serai plus dérangée par ces cris bizarres, intervint Wallis. Mais pour vous dire la vérité, poursuivit-elle avec un sourire timide, le fantôme d'Amaury Ghost va me manquer. J'aimais l'idée de vivre dans un manoir hanté.

Juste à cet instant, un cri strident monta du débarras...

Retrouve 3D,
Josh et Rose
pour de nouvelles enquêtes dans :

L'ÎLE INVISIBLE

en mai 2014

TABLE DES MATIÈRES

L'AUTEUR

Ron Roy est né à Hartford, sur la côte est des États-Unis. Il a longtemps été professeur des écoles. Il écrit tous les matins et parfois l'après-midi.
Comme les héros de « Mystère Mystère », il adore les animaux et il a un chien qui s'appelle Pal. Il aime se promener, nager, faire la cuisine et voyager dans le monde entier. Le vert brocoli est sa couleur préférée.

L'ILLUSTRATEUR

Nicolas Julo est né en 1966 à Paris. Dès qu'il a su tenir un crayon, il a décidé de devenir illustrateur.
Il vit près de Chambéry. Là, entre deux dessins, il pratique l'escalade, la spéléologie, et aime les balades avec ses enfants. Les histoires qu'il préfère privilégient l'humour et l'imagination.

Retrouvez la collection
Rageot Romans
sur le site www.rageot.fr

RAGEOT s'engage pour l'environnement en réduisant l'empreinte carbone de ses livres. Celle de cet exemplaire est de :
400 g éq. CO_2
Rendez-vous sur www.rageot-durable.fr

Achevé d'imprimer en France en février 2014
sur les presses de l'imprimerie Hérissey
Couverture imprimée par l'imprimerie Boutaux (28)
Dépôt légal : mars 2014
N° d'édition : 6053 - 01
N° d'impression : 121834